10-

Japanese for Children

こども の ため の にほんご

Yoshiaki Kobo
Reiko Mori
George Okuhara
Saint Joseph College, Yokohama, Japan

D1599055

PASSPORT BOOKS
a division of *NTC Publishing Group*
Lincolnwood, Illinois USA

COVER CREDITS:
Japanese calligraphy by Mr. Y. Matsumoto
courtesy of Mr. Henry Koyenagi and the Midwest
Buddhist Temple.

1991 Printing

This edition first published in 1987 by Passport Books, a division of NTC Publishing Group,
4255 West Touhy Avenue, Lincolnwood (Chicago), Illinois 60646-1975 U.S.A.
Manufactured in the United States of America.

1 2 3 4 5 6 7 8 9 ML 9 8 7 6 5

Preface

Japanese for Children is a beginning course in everyday Japanese prepared especially for children whose first language is English. The first half of the book introduces children to simple greetings and vocabulary, while the second half helps them assimilate the language through conversations that relate directly to their everyday experiences. Throughout the book, children learn language that reflects the spirit and traditions of Japanese culture. From the beginning, children are introduced to *hiragana* and *katakana* and gradually learn to write with them.

The text provides plenty of practice *without* the burden of long grammatical explanations. Following this method, young beginners build their vocabulary and language skills by means of easy-to-remember, immediately usable models. Also included are exercises that give children extra practice with the vocabulary and patterns learned. English translations of all the Japanese in the book can be found in the index at the back of the book.

Lastly, the authors wish to thank Mrs. Yoriko Tsuchizaki for the illustrations used throughout the book, and Mr. Paul Alff for his help in the publication of *Japanese for Children*.

George Okuhara
Yoshiaki Kobo
Reiko Mori
Saint Joseph College
Yokohama, Japan

はじめに

　本書は日本語を母国語としない小学校程度の児童の日本語の学習のために編集したものである。

　本書は「ことば」と「文型」の二部から構成されている。

　「ことば」の部では、小学校程度の児童の生活範囲から単語を選び、五十音順に配列してある。つぎに「文型」の部では、日常の会話で一般に使われるものを学習しやすいように配列してあるが、全て初歩の文型にとどめ、随所に「れんしゅう」を挿入して、新し語い、文型を反復練習できるように配慮されている。

　本書で扱った語い、文型については、巻末に「索引」が付されている。

　なお、「あいさつ」のことばは、日本の生活では大切な習慣で、日本語の学習にも欠かせないものである。

　最後に、たくさんの楽しいイラストを土崎頼子氏に描いていただき、本書出版のご協力をポール・アルフ氏にしていただき、心から感謝いたします。

セント・ジョセフ・カレッヂ

奥原　ジョージ

幸　保　悦　明

森　　麗　子

Contents

Hiragana 1

Katakana 2

Greetings 3

Words written in Hiragana 5

Words written in Katakana 54

1. This is a book. 61
   Exercise 65

2. I am Tanaka. 66

3. This is my pencil. 67
   Exercise 69

4. Here is a desk. 70
   Exercise 72

5. Counting the numbers. 73

6. Let's count. 75

7. What time is it? 77

8. What day of the week is it? 78
   Exercise 79

9. That is a cute cat. 80
   Exercise 82

10. Where? When? What? 83
   Exercise 86

11. I want to _____. 87

12. I'm going to _____. 88

13. What can you do? 89

14. I'm not going to the bank. 90
   Exercise 91

15. I'm eating. 92

16. I went to the zoo. 94

17. I plant flowers and water them. 96
   Exercise 98

The zoo 99
   Let's answer some questions 102

Index 103

も く じ

ひらがな ……………………………………………… 1

カタカナ ……………………………………………… 2

あいさつ ……………………………………………… 3

ひらがなの ことば …………………………………… 5

カタカナの ことば …………………………………… 54

1 これは ほんです。 ………………………………… 61

2 わたしは たなかです。 ………………………… 66

3 これは わたしの えんぴつです。 …………… 67

4 ここに つくえが あります。 ………………… 70

5 かぞえかた ………………………………………… 73

6 かぞえましょう。 ………………………………… 75

7 いま なんじですか。 ……………………………… 77

8 なんようびですか。 ……………………………… 78

9 それは かわいい ねこですか。 ……………… 80

10 どこで……。 どこへ……。 …………………… 83

11 ……たいです。 …………………………………… 87

12 ……かいに いきます。 ………………………… 88

13 なにが できますか。 …………………………… 89

14 ぎんこうへは いきません。 ………………… 90

15 たべて います。 ………………………………… 92

16 どうぶつえんへ いきました。 ……………… 94

17 はなを うえて、みずを かけます。 ……… 96

どうぶつえん ………………………………………… 99

さくいん ……………………………………………… 103

ひ　ら　が　な

あ a	い i	う u	え e	お o	きゃ kya	きゅ kyu	きょ kyo
か ka	き ki	く ku	け ke	こ ko	しゃ sha	しゅ shu	しょ sho
さ sa	し shi	す su	せ se	そ so	ちゃ cha	ちゅ chu	ちょ cho
た ta	ち chi	つ tsu	て te	と to	にゃ nya	にゅ nyu	にょ nyo
な na	に ni	ぬ nu	ね ne	の no	ひゃ hya	ひゅ hyu	ひょ hyo
は ha	ひ hi	ふ fu	へ he	ほ ho	みゃ mya	みゅ myu	みょ myo
ま ma	み mi	む mu	め me	も mo	りゃ rya	りゅ ryu	りょ ryo
や ya	(い)	ゆ yu	(え)	よ yo	ぎゃ gya	ぎゅ gyu	ぎょ gyo
ら ra	り ri	る ru	れ re	ろ ro	じゃ ja	じゅ ju	じょ jo
わ wa	(い)	(う)	(え)	を o	ぢゃ ja	ぢゅ ju	ぢょ jo
ん n					びゃ bya	びゅ byu	びょ byo
が ga	ぎ gi	ぐ gu	げ ge	ご go	ぴゃ pya	ぴゅ pyu	ぴょ pyo
ざ za	じ ji	ず zu	ぜ ze	ぞ zo			
だ da	ぢ ji	づ zu	で de	ど do			
ば ba	び bi	ぶ bu	べ be	ぼ bo			
ぱ pa	ぴ pi	ぶ pu	ぺ pe	ぽ po			

カタカナ

ア a	イ i	ウ u	エ e	オ o	キャ kya	キュ kyu	キョ kyo
カ ka	キ ki	ク ku	ケ ke	コ ko	シャ sha	シュ shu	ショ sho
サ sa	シ shi	ス su	セ se	ソ so	チャ cha	チュ chu	チョ cho
タ ta	チ chi	ツ tsu	テ te	ト to	ニャ nya	ニュ nyu	ニョ nyo
ナ na	ニ ni	ヌ nu	ネ ne	ノ no	ヒャ hya	ヒュ hyu	ヒョ hyo
ハ ha	ヒ hi	フ fu	ヘ he	ホ ho	ミャ mya	ミュ myu	ミョ myo
マ ma	ミ mi	ム mu	メ me	モ mo	リャ rya	リュ ryu	リョ ryo
ヤ ya	（イ）	ユ yu	（エ）	ヨ yo	ギャ gya	ギュ gyu	ギョ gyo
ラ ra	リ ri	ル ru	レ re	ロ ro	ジャ ja	ジュ ju	ジョ jo
ワ wa	（イ）	（ウ）	（エ）	ヲ o	ヂャ ja	ヂュ ju	ヂョ jo
ン n					ビャ bya	ビュ byu	ビョ byo
ガ ga	ギ gi	グ gu	ゲ ge	ゴ go	ピャ pya	ピュ pyu	ピョ pyo
ザ za	ジ ji	ズ zu	ゼ ze	ゾ zo			
ダ da	ヂ ji	ヅ zu	デ de	ド do			
バ ba	ビ bi	ブ bu	ベ be	ボ bo			
パ pa	ピ pi	プ pu	ペ pe	ポ po			

あ い さ つ
Greetings

おはようございます
Good morning

おやすみなさい
Good night

こんにちは
Good afternoon

こんばんは
Good evening

さようなら
Good-bye

あ　い　さ　つ

Greetings

いってきます

I'm leaving

おかえりなさい

Welcome home

いただきます

Let's have the meal !

ごちそうさま

We had a good meal

どうもありがとう

Thank you very much

ごめんなさい

I'm sorry

一	十	あ

あ お
blue

あ か
red

あ さ
morning

あ し
feet

あ め
rain

あ め
candy

あ り
ant

あ たま
head

あ ひる
duck

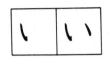

いえ
house

いけ
pond

いし
stone

いす
chair

いと
thread

いぬ
dog

いちご
strawberry

いるか
dolphin

いのしし
wild boar

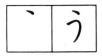 

うし
cow

うた
song

うま
horse

うみ
sea

うきわ
float

うさぎ
rabbit

うぐいす
Japanese warbler

うずまき
whirlpool

うんてんしゅ
driver

え え え き え さ

え だ え び え い が

え い ご え ん そ く え ん ぴ つ

ENGLISH

ー	お	お

お　に　　　　お　り　　　おとな

おどり　　　　おやつ　　　おうさま
　　　　　　　　　　　　　　[ō]

おもちゃ　　おんなのこ　おとこのこ

れんしゅう

れんしゅう

あ	あ	あ	あ	あ	あ	あ
あ		あ		あ		

い	い	い	い	い	い	い
い		い		い		

う	う	う	う	う	う	う
う		う		う		

え	え	え	え	え	え	え
え		え		え		

お	お	お	お	お	お	お
お		お		お		

か

つ	カ	か

かさ

かば

かみ

かがみ

かざん

かいだん

がっこう
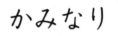
[gakkō]

かみなり

かんづめ

一	二	キ	き

き

きく

きば

きかい

きって
[kitte]

きっぷ
[kippu]

きのこ

きりん

きょうかい
[kyō]

くぎ　　　くし　　　くつ

くま　　　くも　　　くも

くすり　　くるま　　くだもの

14

| し | し | け |

げき

けいと

けむり

けんか

けいかん

けいさつ

けいさん

けしゴム

げんまん

こま　　ごみ　　こおり

こけし　　こども　　ことり

ごはん　　こうえん　こいのぼり

[kō]

れんしゅう

れんしゅう

か	か	か	か	か	か
か		か		か	

き	き	き	き	き	き
き		き		き	

く	く	く	く	く	く
く		く		く	

け	け	け	け	け	け
け		け		け	

こ	こ	こ	こ	こ	こ
こ		こ		こ	

一	ナ	さ

さ　さ

さら

さる

さいふ

さかな

さくら

さそり

さかだち

さんかく

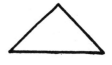

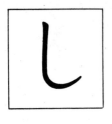

しか

しろ

しかく

じしょ

じしん

しっぽ
[shippo]

しまうま

しんごう
[gō]

しんぶん

20

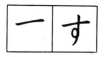

すぎ

すず

すいか

すずめ

すみれ

すもう
[mō]

すもも

すなやま

すべりだい

21

一 十 せ

せ み

せいと

せんろ

せきどう
[dō]

せっけん
[sekken]

せんしゃ

せんせい

せんめんき

せんすいかん

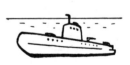

そ	

ぞ う
[zō]

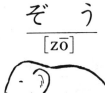

そ で

そ ら

そ り

そ う じ
[sō]

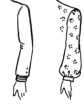

ぞ う り
[zō]

そ よ か ぜ

そ ら ま め

そ ろ ば ん

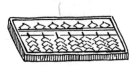

23

れんしゅう

れんしゅう

さ	さ	さ	さ	さ	さ	さ
さ		さ		さ		

し	し	し	し	し	し	し
し		し		し		

す	す	す	す	す	す	す
す		す		す		

せ	せ	せ	せ	せ	せ	せ
せ		せ		せ		

そ	そ	そ	そ	そ	そ	そ
そ		そ		そ		

た

一	ナ	た-	た

たき

たけ

たこ

たいこ　　　たたみ　　　たぬき

たまご　　　だちょう　　たなばた

[chō]

ー ち

ち

ち　ず

ちかてつ

ちきゅう
[kyū]

ちゃわん

ちりがみ

ちゅうしゃ
[chū]

ちょうちん
[chō]

ちょうじょう
[chō jō]

ちょうちょう
[chō chō]

27

つ　　　　　　　　つ

つき　　　つの　　　つめ

つる　　　つくえ　　　つばき

つばめ　　　つみき　　　つうしんぼ

て　　　　て

て　　　　　てら　　　　てんぐ

でんわ　　　でんしゃ　　でんきゅう
　　　　　　　　　　　　　　[kyū]

 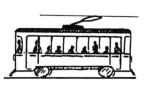 

てんじょう　でんでんむし　てるてるぼうず
[jō]　　　　（かたつむり）

と

とら

とうふ
[tō]

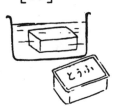

とけい

とんぼ

とびばこ

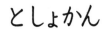

ともだち

どんぐり

としょかん

れんしゅう

れんしゅう

た	た	た	た	た	た	た
た		た		た		

ち	ち	ち	ち	ち	ち	ち
ち		ち		ち		

つ	つ	つ	つ	つ	つ	つ
つ		つ		つ		

て	て	て	て	て	て	て
て		て		て		

と	と	と	と	と	と	と
と		と		と		

一	ナ	ナ	な

な

なし なす なつ

なべ なみ なまえ

なみだ なわとび なんきょく

に

に く

に じ

にっき
[nikki]

にほん

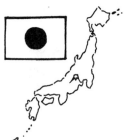

にもつ

にわとり

にんじん

にらめっこ
[mekko]

にんぎょう
[gyō]

34

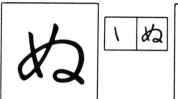   

ぬ の　　ね こ　　ね じ

ねずみ　　ねだん　　ねまき

 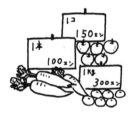 

のはら　　のこぎり　　のりまき

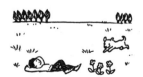  

れんしゅう

れんしゅう

な	な	な	な	な	な
な		な		な	

に	に	に	に	に	に
に		に		に	

ぬ	ぬ	ぬ	ぬ	ぬ	ぬ
ぬ		ぬ		ぬ	

ね	ね	ね	ね	ね	ね
ね		ね		ね	

の	の	の	の	の	の
の		の		の	

は

は

はち

はな

はる

はがき

はかり

はさみ

はっぱ
[happa]

はくちょう
[chō]

ひ

ひ   ひげ   ひざ

ひ　も   びん   ひこうき
[kō]

ひまわり   びょうき   びょういん
[byō]   [byō]

` う ふ ふ

ふ え

ふ く

ふ た

ぶ た

ふ ね

ふ ゆ

ふ ろ

ふくろ

ふうとう
[fū　tō]
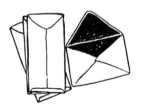

へ　へ　ほ　し　し　し　ほ

へそ　　へび　　へいたい

べんきょう　　ほし　　ほね
[kyō]

ほん　　ぼうし　　ほうたい
　　　　　[bō]　　　[hō]

41

れんしゅう

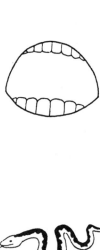

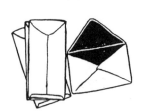

れんしゅう

は	は	は	は	は	は	は
は		は		は		

ひ	ひ	ひ	ひ	ひ	ひ	ひ
ひ		ひ		ひ		

ふ	ふ	ふ	ふ	ふ	ふ	ふ
ふ		ふ		ふ		

へ	へ	へ	へ	へ	へ	へ
へ		へ		へ		

ほ	ほ	ほ	ほ	ほ	ほ	ほ
ほ		ほ		ほ		

ま

一	二	ま

まめ　　まど　　まる

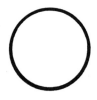

まくら　　まぐろ　　まつり

まゆげ　　まつかさ　　まんねんひつ

み

 み み

む

 ＼ む む

みず

みせ

みち

みみ

みかん

みなと

みかづき

むし

むしめがね

45

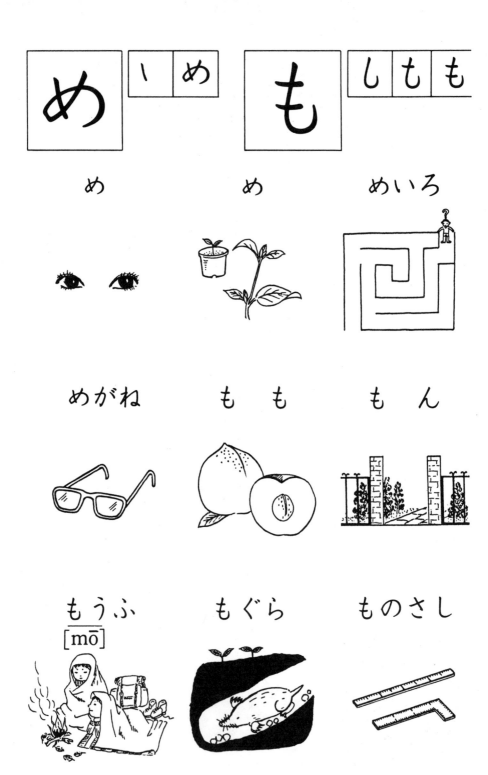

め　　　　　　め　　　　　　めいろ

めがね　　　　もも　　　　　もん

もうふ　　　　もぐら　　　　ものさし
[mō]

れんしゅう

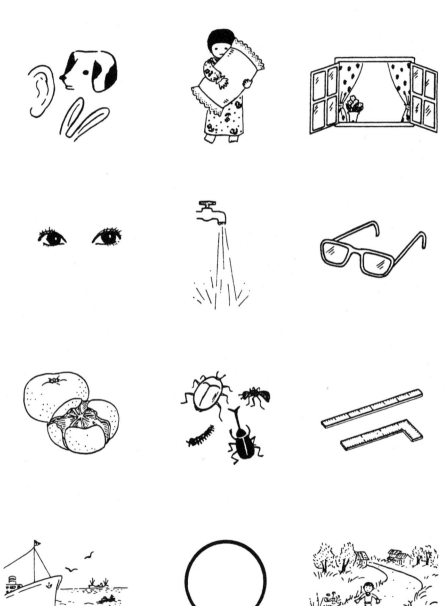

れんしゅう

ま	ま	ま	ま	ま	ま	ま
ま		ま		ま		

み	み	み	み	み	み	み
み		み		み		

む	む	む	む	む	む	む
む		む		む		

め	め	め	め	め	め	め
め		め		め		

も	も	も	も	も	も	も
も		も		も		

や ゆ よ

や ね

や ま

や か ん

や き ゅ う
[kyū]

ゆ

ゆ び

ゆ め

ゆ き だ る ま

よ る

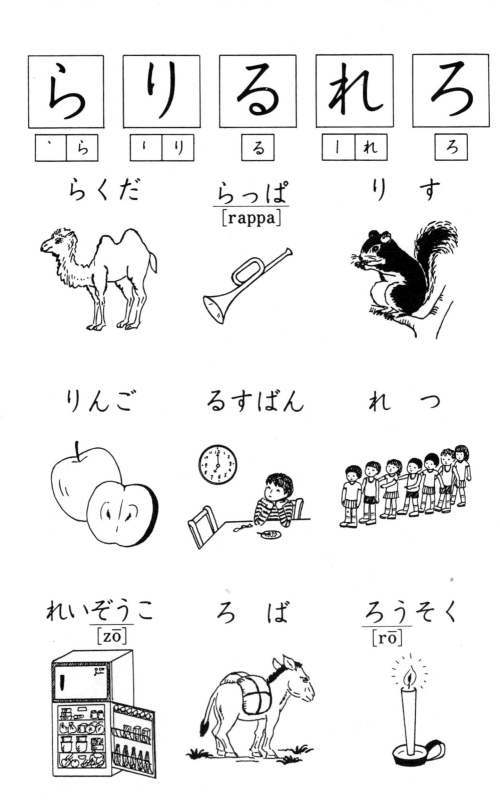

らりるれろ

らくだ

らっぱ
[rappa]

りす

りんご

るすばん

れつ

れいぞうこ
[zō]

ろば

ろうそく
[rō]

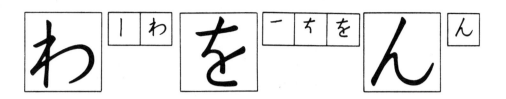

わな　　　わに

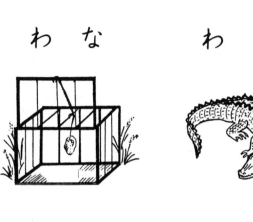

れんしゅう

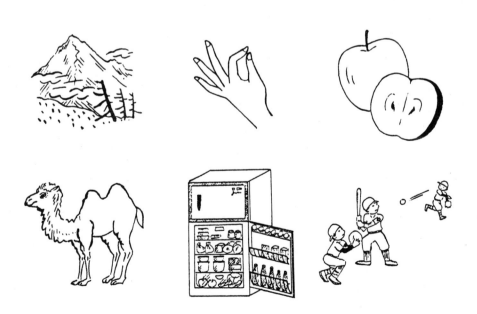

れんしゅう

や	や	や	や	や	や	や
や		や		や		

ゆ	ゆ	ゆ	ゆ	ゆ	ゆ	ゆ
ゆ		ゆ		ゆ		

よ	よ	よ	よ	よ	よ	よ
よ		よ		よ		

ら	ら	ら	ら	ら	ら	ら
ら		ら		ら		

り	り	り	り	り	り	り
り		り		り		

れんしゅう

る	る	る	る	る	る
る		る		る	

れ	れ	れ	れ	れ	れ
れ		れ		れ	

ろ	ろ	ろ	ろ	ろ	ろ
ろ		ろ		ろ	

わ	わ	わ	わ		わ	

を	を	を	を		を	

ん	ん	ん	ん		ん	

カタカナのことば

アイスクリーム
[rīmu]
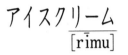

ケーキ
[kēki]

コーヒー
[kōhī]
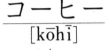

ジュース
[jūsu]

チョコレート
[rēto]
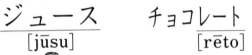

トマト

パ　ン

レモン

カタカナのことば

コップ
[koppu]

ナイフ・フォーク・スプーン
[fōku] [pūn]

シャツ

スカート
[kāto]

ズボン

ハンカチ

ボタン

ポケット
[ketto]

カタカナのことば

ガラス

テスト

テレビ・ラジオ

トンネル

ノート
[nōto]

バス

ピアノ

ボール
[bōru]

ポスト

れんしゅう

れんしゅう

ア	マ	ア	ア	ア		ア	
イ	ノ	イ	イ	イ		イ	
ウ	`	ウ	ウ	ウ		ウ	
エ	一	エ	エ	エ		エ	
オ	一	オ	オ	オ		オ	
カ	フ	カ	カ	カ		カ	
キ	一	キ	キ	キ		キ	
ク	ノ	ク	ク	ク		ク	
ケ	ノ	ケ	ケ	ケ		ケ	
コ	一	コ	コ	コ		コ	
サ	一	サ	サ	サ		サ	
シ	`	シ	シ	シ		シ	
ス	フ	ス	ス	ス		ス	
セ	一	セ	セ	セ		セ	
ソ	`	ソ	ソ	ソ		ソ	

れんしゅう

タ	ノ	ク	タ	タ		タ	タ
チ	ノ	二	チ	チ		チ	チ
ツ	丶	ヽヽ	ツ	ツ		ツ	ツ
テ	一	二	テ	テ		テ	テ
ト	I	ト	ト	ト		ト	ト
ナ	一	ナ	ナ	ナ		ナ	ナ
二	一	二	二	二		二	二
ヌ	フ	ヌ	ヌ	ヌ		ヌ	ヌ
ネ	丶	ラ	ネ	ネ		ネ	ネ
ノ	ノ	ノ	ノ	ノ		ノ	ノ
ハ	ノ	ハ	ハ	ハ		ハ	ハ
ヒ	一	ヒ	ヒ	ヒ		ヒ	ヒ
フ	フ	フ	フ	フ		フ	フ
ヘ	ヘ	ヘ	ヘ	ヘ		ヘ	ヘ
ホ	一	十	オ	ホ		ホ	ホ

れんしゅう

マ	フ	マ	マ	マ		マ		マ	
ミ	ヽ	ミ	ミ	ミ		ミ		ミ	
ム	ム	ム	ム	ム		ム		ム	
メ	ノ	メ	メ	メ		メ		メ	
モ	一	ニ	モ	モ		モ		モ	
ヤ	一	ヤ	ヤ	ヤ		ヤ		ヤ	
ユ	フ	ユ	ユ	ユ		ユ		ユ	
ヨ	フ	ヨ	ヨ	ヨ		ヨ		ヨ	
ラ	一	ラ	ラ	ラ		ラ		ラ	
リ	｜	リ	リ	リ		リ		リ	
ル	ノ	ル	ル	ル		ル		ル	
レ	レ	レ	レ	レ		レ		レ	
ロ	｜	ロ	ロ	ロ		ロ		ロ	
ワ	｜	ワ	ワ		ヲ	フ	ヲ	ラ	
ン	ヽ	ン	ン						

1 これは　ほんです。

これは　ほんですか。
　　　[wa]

はい、それは　ほんです。
　　　　　[wa]

これは　ノートですか。

いいえ、それは
　　　ノートでは　ありません。
　　　　　[wa]

それは　ノートですか。　　　⑤

はい、これは　ノートです。

それは　ほんですか。

いいえ、これは
　　　ほんでは　ありません。

これは　ほんです。

それも　ほんですか。
はい、これも　ほんです。

これも　ほんですか。
いいえ、それは
　　　ほんでは　ありません。　⑤
これは　なんですか。
それは　ノートです。

これも　ノートですか。
はい、それも　ノートです。

これも　ノートですか。　　　　⑩
いいえ、それは
　　ノートでは　ありません。
これは　なんですか。
それは　ほんです。

あれは　まどです。

あれは　まどですか。
はい、あれは　まどです。

あれも　まどですか。
はい、あれも　まどです。　　⑤

あれも　まどですか。
いいえ、あれは
　　　まどでは　ありません。

あれは　なんですか。
あれは　とけいです。

これは　ほんですか、
　　　　　ノートですか。

それは　ほんです。

それは　ほんですか、
　　　　　ノートですか。

これは　ノートです。

あれは　まどですか、
　　　　　やねですか。　⑤

あれは　まどです。

あれは　まどですか、
　　　　　やねですか。

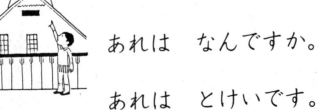

あれは　まどでも
　　　やねでも　ありません。

あれは　なんですか。

あれは　とけいです。　⑩

Complete the following sentences.

これは　ほんですか。
はい、＿＿＿　ほんです。

それは　ノートですか。
はい、＿＿＿　ノートです。

それは　ほんですか。⑤
いいえ、これは　ほんでは　＿＿＿＿＿＿。

これも　ほんですか。
はい、＿＿＿　ほんです。

これも　ほんですか。
いいえ、＿＿は　ほんでは　＿＿＿＿＿＿。⑩

これは　＿＿＿＿＿＿、ノートですか。
それは　ほんです。

あれは　まどでも　やね＿＿　ありません。

2 わたしは　たなかです。

あなたは　たなかさんですか。

はい、わたしは　たなかです。

あなたは　だれですか。

わたしは　さとうです。
　　　　　　[tō]

あなたも　さとうさんですか。　⑤

いいえ、わたしは
　　　　　　すずきです。

あの　ひとは　あべさんです。

あの　ひとは　だれですか。

あの　ひとは　かとうさんです。
　　　　　　　　　　[tō]

3 これは わたしの えんぴつです。

それは　あなたの　えんぴつですか。

はい、これは　わたしの　えんぴつです。

あれは　かとうさんの　えんぴつですか。

いいえ、あれは　かとうさんの
　　　　　　　　　　　えんぴつでは　ありません。

あれは　だれの　えんぴつですか。　　　　　⑤

あれは　あべさんの　えんぴつです。

この　けしゴムは　あなたのですか。

はい、それは　わたしのです。

あの　けしゴムも　あなたのですか。

いいえ、あれは　わたしのでは　ありません。⑩

あれは　だれのですか。

あれは　さとうさんのです。

その　ひとは　あなたの　おとうさんですか。

はい、この　ひとは　わたしの　おとうさんです。

あの　ひとは　あなたの　おかあさんですか。

いいえ、あの　ひとは　わたしの

　　　　　おかあさんでは　ありません。

あの　ひとは　わたしの　おねえさんです。⑤

かぞくの　ひとたち

おじいさん
[ji]

おばあさん
[bā]

おとうさん
[tō]

わたし

おかあさん
[kā]

おにいさん
[ni]

おねえさん
[nē]

おとうと
[tō]

いもうと
[mō]

Exercise

Complete the following sentences.

あなたは　たなか＿＿＿ですか。
＿＿＿、わたしは　たなかです。

あなたは　＿＿＿ですか。
わたしは　さとうです。

これは　あなたの　えんぴつですか。　　　⑤
はい、＿＿＿＿　＿＿＿＿＿　えんぴつです。

この　けしゴムは　あなたのですか。
はい、それは　＿＿＿＿＿　です。

あの　ひとは　あなたの　おかあさんですか。
いいえ、＿＿＿　＿＿＿＿　わたしの
　　　　　おかあさん＿＿＿　ありません。⑩

4 ここに つくえが あります。
そこに いすが あります。
あそこに いけが あります。

もんの よこに ポストが あります。

いえの まえに はなが あります。

いえの なかに テーブルが あります。
[tē]

テーブルの うえに りんごが あります。

テーブルの うえに でんとうが あります。⑤

テーブルの したに くつが あります。

こどもの うしろに ピアノが あります。

ピアノの ひだりに まどが あります。

どこに くまのぬいぐるみが ありますか。
ピアノの うえに あります。

どこに いけが ありますか。
いえの うらに あります。

もんの まえに いぬが います。⑤
テーブルの みぎに こどもが います。
テレビの したに ねこが います。

Exercise

Answer the following questions by looking at the picture on p.71.

もんの　よこに　ポストが　ありますか。

いえの　なかに　テーブルが　ありますか。

テーブルの　したに　りんごが　ありますか。

ピアノの　みぎに　まどが　ありますか。

どこに　いけが　ありますか。　　　　　　⑤

テーブルの　みぎに　だれが　いますか。

もんの　まえに　なにが　いますか。

テレビの　したに　なにが　いますか。

ピアノの　まえに　だれが　いますか。

5 かぞえかた

1	2	3	4	5
いち	に	さん	し（よん）	ご

6	7	8	9	10
ろく	しち（なな）	はち	く	じゅう [jū]

ひとつ　ふたつ　みっつ [mittsu]　よっつ　いつつ

むっつ　ななつ　やっつ　ここのつ　とお [tō]

いちまい　にまい
さんまい　よんまい
ごまい　ろくまい　しちまい
はちまい　きゅうまい [kyū]　じゅうまい

73

いっさつ　にさつ　さんさつ
[issatsu]
よんさつ　ごさつ　ろくさつ
ななさつ　はっさつ
きゅうさつ　じゅっさつ

いっぽん　にほん　さんぼん
[ippon]
よんほん　ごほん　ろっぽん
ななほん　はっぽん
きゅうほん　じゅっぽん

いっぴき　にひき　さんびき
[ippiki]
よんひき　ごひき　ろっぴき
ななひき　はっぴき
きゅうひき　じゅっぴき

ひとり　ふたり　さんにん
よにん　ごにん　ろくにん
ななにん　はちにん
きゅうにん　じゅうにん

6 かぞえましょう

せんせいは　<u>なんにん</u>
いますか。

ほんは　<u>なんさつ</u>
ありますか。

かみは　<u>なんまい</u>
ありますか。

むしは　<u>なんびき</u>
いますか。

たまごは　<u>いくつ</u>
ありますか。

せいとは　なんにん
いますか。

ほしは　いくつ
ありますか。

いしは　いくつ
ありますか。

こどもは　なんにん
いますか。

ゆびは　なんぼん
ありますか。

7 いま なんじですか

いま　いちじです。

いま
よじ　じゅうごふんです。

いま
くじ　<u>さんじゅっぷん</u>（はん）
　　　[sanjuppun]
　　　　　です。

よじ　<u>よんじゅっぷん</u>　　じゅうじ　<u>じゅっぷん</u>　　じゅうにじ

8 なんようびですか。

きょうは　なんようびですか。
　[kyō]　　　　　[yō]
きょうは　にちようびです。

| にちようび　げつようび　かようび |
| すいようび　もくようび |
| きんようび　どようび |

きょうは　なんにちですか。

きょうは　いちがつ　ついたちです。

1月	いちがつ
2月	にがつ
3月	さんがつ
4月	しがつ
5月	ごがつ
6月	ろくがつ
7月	しちがつ
8月	はちがつ
9月	くがつ
10月	じゅうがつ
11月	じゅういちがつ
12月	じゅうにがつ

1日	ついたち
2日	ふつか
3日	みっか
4日	よっか
5日	いつか
6日	むいか
7日	なのか
8日	ようか
9日	ここのか
10日	とおか
⋮	
20日	はつか

Exercise

11	じゅういち
12	じゅうに
13	じゅうさん
14	じゅうし
15	じゅうご
16	じゅうろく
17	じゅうしち
18	じゅうはち
19	じゅうく
20	にじゅう
21	にじゅういち
22	にじゅうに
23	にじゅうさん
24	にじゅうよん
25	にじゅうご
26	にじゅうろく
27	にじゅうしち
28	にじゅうはち
29	にじゅうく
30	さんじゅう
40	よんじゅう
50	ごじゅう
60	ろくじゅう
70	ななじゅう
80	はちじゅう
90	きゅうじゅう
100	ひゃく
200	にひゃく
300	さんびゃく
600	ろっぴゃく
800	はっぴゃく
900	きゅうひゃく
1000	せん

なんじですか。

1 :00(　　　　　)　4 :00(　　　　　)
9 :00(　　　　　)　10:00(　　　　　)
12:00(　　　　　)
4 :15(　　　　　)
9 :30(　　　　　)
4 :40(　　　　　)
10:10(　　　　　)

なんようびですか。

Sunday(　　　　　　　　　　　　)
Monday(　　　　　　　　　　　　)
(　　　　　　　　　　　)かようび
(　　　　　　　　　　　)すいようび
(　　　　　　　　　　　)もくようび
Friday(　　　　　　　　　　　　)
Saturday(　　　　　　　　　　　)

なんにちですか。

Jan.1(　　　　　　　　　　　　)
May 1(　　　　　　　　　　　　)
May 5(　　　　　　　　　　　　)
June 10(　　　　　　　　　　　)
July 7(　　　　　　　　　　　　)
Dec.25(　　　　　　　　　　　)

9 それは かわいい ねこです。
その ねこは かわいいです。

それは おもしろい えいがですか。
いいえ、おもしろくないです。

それは おいしい みかんですか。
いいえ、おいしくないです。

それは きたない ごみですか。　　　　⑤
いいえ、きたなくないです。

その かおは こわいですか。
いいえ、こわくないです。

その ちゅうしゃは いたいですか。
いいえ、いたくないです。　　　　⑩

その えんぴつは ながいですか。
いいえ、ながくないです。みじかいです。

おおきい　ちいさい　ふとい　ほそい

たかい　ひくい　　あつい｛さむい
　　　　　　　　　　　　つめたい

おもい　かるい

あかい　　しろい　　きいろい

あおい　　くろい　　ちゃいろい　　⑤

「きれいな」の　なかま

きれいな　すきな　きらいな

それは　きれいな　ふくですか。

いいえ、きれいでは　ありません。

いぬは　すきですか。　　　　　　⑩

はい、すきです。

ねこも　すきですか。

いいえ、すきでは　ありません。

きらいです。

Complete the following sentences.

それは　おもしろい　えいがですか。

いいえ、＿＿＿＿＿＿＿＿　です。

それは　きたない　ごみですか。

いいえ、＿＿＿＿＿＿＿　です。

その　ちゅうしゃは　＿＿＿　ですか。　　　⑤

いいえ、いたくないです。

その　えんぴつは　ながいですか。

いいえ、＿＿＿＿＿＿　です。＿＿＿＿＿　です。

これは　＿＿＿＿＿　ふくですか。

いいえ、きれいでは　ありません。　　　　　⑩

ねこは　すきですか。

いいえ、＿＿＿＿＿　ありません。＿＿＿＿　です。

10 どこで…。 どこへ…。

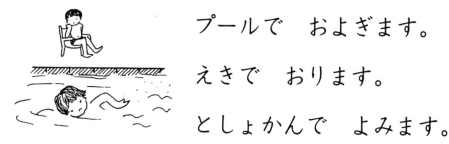

プールで およぎます。

えきで おります。

としょかんで よみます。

がっこうへ きます。
[e]

きょうかいへ いきます。　　　　　　　⑤

うちへ かえります。

いつ………………。

まいにち べんきょうします。

ときどき けんかします。

あした でんわします。

あさ 6じに おきます。　　　　　⑩

よる 10じに ねます。

にちようびに あそびます。

なにに………………。

いすに　すわります。

バスに　のります。

おふろに　はいります。

ちょうじょうに　たちます。

なにを………………。

てを　あらいます。

てがみを　かきます。

⑤

テレビを　みます。

やきゅうを　します。

にほんごを　はなします。

はなを　かいます。　⑩

バナナを　たべます。

いつ　どこで　なにを………。

まいあさ　こうえんで　はしります。

もりで　きを　きります。

どようびに　テレビを　みます。

まいばん　へやで　ラジオを　ききます。

なにが………。　　だれが………。

あかちゃんが　わらいます。　　　　　⑤

がっこうが　9じに　はじまります。

がっこうが　3じに　おわります。

おじいさんが　にわを　あるきます。

ひこうきが　そらを　とびます。

いぬが　そとで　なきます。　　　　　⑩

せんせいが　きょうしつで

　　　　　　せいとを　しかります。

Exercise

Complete the following sentences.

プールで ＿＿＿＿＿＿。
　　　　　(swim)

うちへ ＿＿＿＿＿＿。
　　　　(go back home)

よる　10じに ＿＿＿＿。
　　　　　　　(go to bed)

おふろに ＿＿＿＿＿＿。
　　　　　(take a bath)

にほんごを ＿＿＿＿＿＿。　　　　　　⑤
　　　　　　(speak)

どようびに　テレビを ＿＿＿＿。
　　　　　　　　　　　(watch)

がっこうが　9じに ＿＿＿＿＿＿＿。
　　　　　　　　　　(begin)

ひこうきが　そらを ＿＿＿＿。
　　　　　　　　　　(fly)

せんせいが　きょうしつで
　　　　　　せいとを ＿＿＿＿＿＿。
　　　　　　　　　　　(scold)

11 ……たいです。

プールで　およぎたいです。

うちへ　かえりたいです。

にちようびに　あそびたいです。

おふろに　はいりたいです。

にほんごが　はなしたいです。　　　　　　　⑤

ジュースが　のみたいです。

うみが　みたいです。

うたが　うたいたいです。

でんわが　かけたいです。

きってが　あつめたいです。⑩

せんせいに　なりたいです。

やまに　のぼりたいです。

12 ……… かいに いきます。

のぼりに いきます。

およぎに いきます。

あそびに きます。

あいに きます。

えいがを みに
  いきます。

⑤

ステーキを たべに
  いきます。

ゆうびんきょくへ てがみを
    だしに いきます。

えきへ わすれものを
    とりに いきます。

としょかんへ ほんを
    かりに いきます。

13 なにが できますか。

やきゅうが できます。

かんじが かけます。

ほんが よめます。

じてんしゃに のれます。

おふろに はいれます。　　　　　　　　⑤

5キロ<u>メートル</u> はしれます。
　　　[mē]

100メートル およげます。

あさ 5じに おきられます。

この へやで ねられます。

10じまで テレビが みられます。　⑩

おすしが たべられます。

あした なんじに ここへ こられますか。
9じに こられます。

14 ぎんこうへは いきません。

あさ 6じに おきますか。
はい、あさ 6じに おきます。

テレビを みますか。
いいえ、テレビは みません。

そとへ でたいですか。　　　　　　　　⑤
はい、そとへ でたいです。

しんぶんが よみたいですか。
いいえ、しんぶんは よみたくないです。

にほんごが はなせますか。
はい、にほんごが はなせます。　　　　⑩

あした 7じに こられますか。
いいえ、あした 7じには こられません。

えいがを みに いきますか。
いいえ、えいがは みに いきません。

Complete the following sentences.

プールで ＿＿＿＿ たいです。

にほんごが ＿＿＿＿ たいです。

えいがを ＿＿ に いきます。

えきへ わすれものを
　　　　　　　　＿＿＿＿に いきます。

ほんが よ＿ます。　　　　　　　　　　⑤

10じまで テレビが み＿＿ます。

そとへ でたいですか。
はい、そとへ ＿＿＿＿です。

しんぶんが よみたいですか。
いいえ、しんぶんは ＿＿＿＿＿＿＿＿です。⑩

15 たべています

バナナを たべて います。

まいにち べんきょうして います。

テレビを みて います。

にほんごを はなして います。

にわで ねて います。　　　　　⑤

ラジオを きいて います。

てがみを かいて います。

みちを あるいて います。

そとで ないて います。

ピアノを ひいて います。　　　⑩

プールで およいで います。

いま いそいで います。

てを あらって います。

せいとを しかって います。

きを きって います。

はなを かって います。

にほんごを ならって います。 ⑤

うたを うたって います。

こうえんで はしって

います。

ちょうじょうに たって います。

おちゃを のんで います。

ほんを よんで います。 ⑩

ゆうえんちで あそんで います。

そらを とんで います。

16 どうぶつえんへ
いきました。

きょうかいへ　いきました。

としょかんで　よみました。

あさ　6じに　おきました。

よる　10じに　ねました。

バスに　のりました。　　　　　⑤

おふろに　はいりました。

てを　あらいませんでした。

テレビを　みませんでした。

バナナを　たべませんでした。

はなを　かいませんでした。　　⑩

あかちゃんが　わらいました。

ひこうきが　とびました。

Complete the following sentences.

バナナを ＿＿＿＿ います。

ラジオを ＿＿＿＿ います。

プールで ＿＿＿＿＿ います。

てを ＿＿＿＿＿ います。

ゆうえんちで ＿＿＿＿＿ います。　　　⑤

きょうかいへ いきましたか。
はい、きょうかいへ ＿＿＿＿＿＿。

あかちゃんが わらいましたか。
はい、あかちゃんが ＿＿＿＿＿＿＿。

テレビを みましたか。　　　　　　⑩
いいえ、テレビは ＿＿＿＿＿＿＿＿。

17 はなを うえて、
##　　　みずを かけます。

はなしを　やめて、ききます。

ふたを　あけて、なかを　みます。

でんわばんごうを　しらべて、おしえます。

あさ　7じに　おきて、
　　　　　　　　かおを　あらいます。

あさごはんを　たべて、
　　　　　　　がっこうへ　いきます。⑤

がっこうで　べんきょうして、
　　　　　　　　うちへ　かえります。

しゅくだいを　して、テレビを　みます。

おふろに　はいって、ねます。

ほんを　ひらいて、よみました。

てがみを　かいて、だしました。

りんごを　とって、たべました。

デパートへ　いって、
　　　　　　　プラモデルを　かいました。

きっぷを　かって、
　　　　　　　でんしゃに　のりました。⑤

すこし　やすんで、
　　　　　　　とうきょうへ　いきました。

まんがを　よんで、
　　　　　　　みんなで　わらいました。

おちゃを　のんで、
　　　　　　　おかしを　たべました。

Exercise

Complete the following sentences.

はなを ＿＿て、みずを　かけます。

ふたを　＿＿て、なかを　みます。

あさごはんを　＿＿て、

　　　　　　　　がっこうへ　＿＿＿＿＿。

おふろに　＿＿＿て、ねます。

てがみを　＿＿て、だします。　　　　　⑤

きっぷを　＿＿て、

　　　　　　でんしゃに　＿＿＿＿＿。

まんがを　＿＿で、

　　　　　　みんなで　＿＿＿＿＿＿。

おちゃを　＿＿で、

　　　　　　おかしを　＿＿＿＿＿。

どうぶつえん

きのう　どうぶつえんへ
いきました。あさ　7じに
うちを　でました。でんしゃに
のって、うえのえきで　おりました。
どうぶつえんの　いりぐちで
ともだちに　あいました。
きっぷを　かって　なかに
はいりました。　⑤

はじめに、パンダの　おりへ
いきました。パンダは
ねて　いました。それから
ライオンや　ぞうや

きりんや　かばや　しろくまなどを
みに　いきました。

　さるの　なかまは　おおぜい　いました。

　　　　　　　ボスざるは　きのうえに

　　　　　　　すわって、さけんで

　　いました。　こどもの

　　　　　　　さるは　けんかを　して、

　　　　　　　はしって　いました。　⑩

あかちゃんざるは　ないて

いました。

　いちじごろ　おべんとうを
たべて、すこし　やすみました。

それから こうまに のりに いきました。

ひとりで のれました。
ともだちは のれません
でした。　　　　　⑮

さんじごろ どうぶつえんを でて、
バスで かえりました。

よる どうぶつえんの
はなしを しに、
おじいさんの

へやへ いきました。
こんどは おじいさんと いきたいです。

こたえましょう

きのう　どこへ　いきましたか。
なんじに　うちを　でましたか。
どのえきで　でんしゃを　おりましたか。
どこで　だれに　あいましたか。
きっぷを　かって、どうしましたか。　　　　⑤

パンダは　あるいて　いましたか。
ぞうを　みに　いきましたか。
ボスざるは　どこに　いましたか。
こどもの　さるは　ないて　いましたか。
あかちゃんざるは　わらって　いましたか。⑩

いちじごろ　なにを　しましたか。
ともだちは　こうまに　のれましたか。

なにで　かえりましたか。

だれと　どうぶつえんへ　いきたいですか。

おわり

Index: Greetings and Vocabulary

あ お	blue	p. 5	えんぴつ	pencil	p. 8
あ か	red	"	お に	demon	p. 9
あ さ	morning	"	お り	cage	"
あ し	foot	"	おとな	adult(man,woman)	"
あ め	rain	"	おどり	dancing	"
あ め	candy	"	おやつ	snack	"
あ り	ant	"	おうさま	king	"
あたま	head	"	おもちゃ	toy	"
あひる	duck	"	おとこのこ	boy	"
い え	house	p. 6	おんなのこ	girl	"
い け	pond	"	か さ	umbrella	p. 12
い し	stone	"	か ば	hippopotamus	"
い す	chair	"	か み	paper	"
い と	thread	"	かがみ	mirror	"
い ぬ	dog	"	かざん	volcano	"
いちご	strawberry	"	かいだん	stairs	"
いるか	dolphin	"	がっこう	school	"
いのしし	wild boar	"	かみなり	thunder	"
う し	cow	p. 7	かんずめ	canned food	"
う た	song	"	き	tree	p. 13
う ま	horse	"	き く	chrysanthemum	"
う み	sea	"	き ば	tusk	"
うきわ	float	"	きかい	machinery	"
うさぎ	rabbit	"	きって	stamp	"
うぐいす	Japanese warbler	"	きっぷ	ticket	"
うずまき	whirlpool	"	きのこ	mushroom	"
うんてんしゅ	driver	"	きりん	giraffe	"
え	picture(painting)	p. 8	きょうかい	church	"
え き	station	"	く ぎ	nail	p. 14
え さ	bait	"	く し	comb	"
え だ	branch	"	く つ	shoes	"
え び	shrimp	"	く ま	bear	"
えいが	movie(film)	"	く も	spider	"
えいご	English	"	く も	cloud	"
えんそく	excursion	"	くすり	medicine	"

くるま	car	p.14	じしょ	dictionary	p.20
くだもの	fruit	〃	じしん	earthquake	〃
げ き	drama	p.15	しっぽ	tail	〃
けいと	woolen yarn	〃	しまうま	zebra	〃
けむり	smoke	〃	しんごう	traffic light	〃
けんか	fight	〃	しんぶん	newspaper	〃
けいかん	policeman	〃	す ぎ	Japanese cedar	p.21
けいさつ	police	〃	す ず	bell	〃
けいさん	counting	〃	すいか	watermelon	〃
けしゴム	eraser	〃	すずめ	sparrow	〃
げんまん	hook one's little finger with someone else's as a pledge	〃	すみれ	pansy (三色すみれ)	〃
			すもう	sumo	〃
こ ま	top	p.16	すもも	plum	〃
ご み	rubbish	〃	すなやま	sand hill	〃
こおり	ice	〃	すべりだい	slide	〃
こけし	wooden doll	〃	せ み	cicada	p.22
こども	children	〃	せいと	pupil	〃
ことり	bird	〃	せんろ	railway	〃
ごはん	boiled rice	〃	せきどう	equator	〃
こうえん	park	〃	せっけん	soap	〃
こいのぼり	carp streamer	〃	せんしゃ	tank	〃
さ さ	bamboo grass (―のは)―leaf	p.19 〃	せんせい	teacher	〃
			せんめんき	basin	〃
さ ら	dish, plate	〃	せんすいかん	submarine	〃
さ る	monkey	〃	ぞ う	elephant	p.23
さいふ	purse, wallet	〃	そ で	sleeve	〃
さかな	fish	〃	そ ら	sky	〃
さくら	cherry blossoms	〃	そ り	sleigh	〃
さそり	scorpion	〃	そうじ	cleaning	〃
さかだち	handstand	〃	ぞうり	sandals	〃
さんかく	triangle	〃	そよかぜ	breeze	〃
し か	deer	p.20	そらまめ	bean	〃
し ろ	white	〃	そろばん	abacus	〃
しかく	square	〃	た き	fall	p.26

た け	bamboo	p.26	てるてるぼうず	(a paper doll to	p.2	
た こ	kite	〃		which Japanese		
たいこ	drum	〃		children pray for		
たたみ	Japanese mat	〃		fine weather)		
たぬき	racoon	〃	と	door	p.30	
たまご	egg	〃	と ら	tiger	〃	
だちょう	ostrich	〃	とうふ	bean curd	〃	
たなばた	Festival of the Weaver	〃	とけい	clock	〃	
ち ず	map	p.27	とんぼ	dragonfly	〃	
ちかてつ	subway	〃	とびばこ	vaulting horse	〃	
ちきゅう	earth	〃	ともだち	friend(s)	〃	
ちゃわん	rice bowl	〃	どんぐり	acorn	〃	
ちりがみ	tissue paper	〃	としょかん	library	〃	
ちゅうしゃ	injection	〃	な し	pear	p.33	
ちょうちん	lantern	〃	な す	eggplant	〃	
ちょうじょう	summit	〃	な つ	summer	〃	
ちょうちょう	butterfly	〃	な べ	pot	〃	
つ き	moon	p.28	な み	wave	〃	
つ の	horn	〃	なまえ	name	〃	
つ め	nail	〃	なみだ	tear	〃	
つ る	crane	〃	なわとび	jump rope	〃	
つくえ	desk	〃	なんきょく	South Pole	〃	
つばき	camellia	〃	に く	meat	p.34	
つばめ	swallow	〃	に じ	rainbow	〃	
つみき	block	〃	にっき	diary	〃	
つうしんぼ	report card	〃	にほん	Japan	〃	
て	hand	p.29	にもつ	baggage	〃	
て ら	temple	〃	にわとり	hen	〃	
てんぐ	monster	〃	にんじん	carrot	〃	
でんわ	telephone	〃	にらめっこ.	staring game	〃	
でんしゃ	train	〃	にんぎょう	doll	〃	
でんきゅう	electric bulb	〃	ぬ の	cloth	p.35	
てんじょう	ceiling	〃	ね こ	cat	〃	
でんでんむし (かたつむり)		〃	ね じ	screw	〃	
	snail		ねずみ	mouse	〃	

ねだん	price	p.35	へいたい	soldier	p.41
ねまき	pajamas	〃	べんきょう	study	〃
のはら	field	〃	ほし	star	〃
のこぎり	saw	〃	ほね	bone	〃
のりまき	rice and	〃	ほん	book	〃
	seaweed	〃	ぼうし	cap, hat	〃
は	tooth	p.38	ほうたい	bandage	〃
はち	bee	〃	まめ	bean	p.44
はな	nose	〃	まど	window	〃
はる	spring	〃	まる	circle, ring	〃
はがき	postcard	〃	まくら	pillow	〃
はかり	scale	〃	まぐろ	tuna	〃
はさみ	scissors	〃	まつり	festival	〃
はっぱ	leaf	〃	まゆげ	eyebrow	〃
はくちょう	swan	〃	まつかさ	pine cone	〃
ひ	fire	p.39	まんねんひつ	fountain pen	〃
ひげ	beard	〃	みず	water	p.45
ひざ	knee	〃	みせ	shop	〃
ひも	string	〃	みち	road	〃
びん	bottle	〃	みみ	ear	〃
ひこうき	airplane	〃	みかん	mandarin orange	〃
ひまわり	sunflower	〃	みなと	port	〃
びょうき	illness	〃	みかづき	crescent	〃
びょういん	hospital	〃	むし	insect	〃
ふえ	flute	p.40	むしめがね	magnifying glass	〃
ふく	clothes	〃	め	eye	p.46
ふた	cover	〃	め	bud	〃
ぶた	pig	〃	めいろ	maze	〃
ふね	ship	〃	めがね	glasses	〃
ふゆ	winter	〃	もも	peach	〃
ふろ	bath	〃	もん	gate	〃
ふくろ	bag	〃	もうふ	blanket	〃
ふうとう	envelope	〃	もぐら	mole	〃
へそ	navel	p.41	ものさし	scale	〃
へび	snake	〃	やね	roof	p.49

やま	mountain	p.49
やかん	kettle	"
やきゅう	baseball	"
ゆ	hot water	"
ゆび	finger	"
ゆめ	dream	"
ゆきだるま	snowman	"
よる	night	"
らくだ	camel	p.50
らっぱ	trumpet	"
りす	squirrel	"
りんご	apple	"
るすばん	caretaker	"
れつ	line	"
れいぞうこ	refrigerator	"
ろば	donkey	"
ろうそく	candle	"
わな	trap	p.51
わに	crocodile	"

アイスクリーム	ice cream	p.54
ケーキ	cake	"
コーヒー	coffee	"
ジュース	juice	"
チョコレート	chocolate	"
トマト	tomato	"
パン	bread	"
レモン	lemon	"
コップ	cup	p.55
ナイフ	knife	"
フォーク	fork	"
スプーン	spoon	"
シャツ	shirts	"
スカート	skirt	"
ズボン	pants	"

ハンカチ	handkerchief	p.55
ボタン	button	"
ポケット	pocket	"
ガラス	glass	p.56
テスト	test	"
テレビ	television set	"
ラジオ	radio	"
トンネル	tunnel	"
ノート	notebook	"
バス	bus	"
ピアノ	piano	"
ボール	ball	"
ポスト	post	"

Index: Conversations and Exercises

p.61

1 This is a book.

Is this a book?
Yes, it is a book.

Is this a notebook?
No, it isn't a notebook.

Is that a notebook?   ⑤
Yes, it is a notebook.

Is that a book?
No, it isn't a book.

p.62

This is a book.

Is that also a book?
Yes, it is a book, too.

Is this also a book?
No, it isn't a book.   ⑤

What is this?
It is a notebook.

Is this also a notebook?
Yes, it is a notebook, too.

Is this also a notebook?   ⑩
No, it isn't a notebook.

What is this?
It is a book.

p.63

That is a window.

Is that a window?
Yes, it is a window.

Is that also a window?
Yes, it is a window, too.   ⑤

Is that also a window?
No, it isn't a window.

What is that?
It is a clock.

p.64

Is this a book or a notebook?
It is a book.

Is that a book or a notebook?
It is a notebook.

Is that a window or a roof over there?   ⑤
It is a window.

Is that a window or a roof over there?
It isn't a window or a roof.

What is that?
It is a clock.

p.65

Exercise
Complete the following sentences.

Is this a book?
Yes, it is a book.

Is that a notebook?
Yes, it is a notebook.

Is that a book?
No, it isn't a book.

Is this also a book?
Yes, it is also a book.

Is this also a book?
No, it isn't a book.   ⑩

Is this a book, or a notebook?
It is a book.

That isn't a window or a roof.

p.66

2 I am Tanaka.

Are you Mr. Tanaka?
Yes, I am Mr. Tanaka.

Who are you?
I am Mrs. Sato.

Are you Mrs. Sato?   ⑤
No, I am Mrs. Suzuki.

That man is Mr. Abe.

Who is that woman?
She is Miss Kato.

p.67

3 This is my pencil.

Is that your pencil?
Yes, it is my pencil.

Is that Mr. Kato's pencil?
No, it isn't Mr. Kato's pencil.

Whose pencil is that?   ⑤
It is Mr. Abe's pencil.

Is this eraser yours?
Yes, it is mine.

Is that eraser also yours?
No, it is not mine.   ⑩

Whose eraser is that?
It is Mr. Sato's.

p.68

Is that man your father?
Yes, he is my father.

Is that woman your mother?
No, she is not my mother.

That woman is my sister.   ⑤

Persons in a Family
Grandfather ―――――― Grandmother
Father ――――――――I―――― Mother
Older Brother ―――――― Older Sister
Younger Brother ――――― Younger Sister

p.69

Exercise
Complete the following sentences.

Are you Mr./Ms. Tanaka?
Yes, I am Mr. Tanaka.

Who are you?
I am Mr. Sato.

Is this your pencil?   ⑤
Yes, it is my pencil.

Is this eraser yours?
Yes, it is mine.

Is that woman your mother?
No, she is not my mother.   ⑩

p.70

4 Here is a desk.
   There is a chair.
   There is a pond (over there).

There is a mailbox next to the gate.
There are flowers in front of the house.
There is a table in the house.
There is an apple on the table.
There is a lamp on the table.   ⑤
There are shoes under the table.
There is a piano behind the child.
There is a window on the left side of the piano.

p.71

(Animals and people [animate objects] use
  imasu as "be" verbs.)

Where is the bear doll?
It is on the piano.

Where is the pond?
It is behind the house.

There is a dog in front of the gate.   ⑤
There is a child on the right side of the table.
There is a cat under the TV.

p.72

Exercise
Answer the following questions by looking at
the picture on page 71.

Is there a mailbox next to the gate?
Is there a table in the house?
Is there an apple under the table?
Is there a window to the right of the piano?
Where is the pond?

Who is on the right side of the table?
What is in front of the gate?
What is under the TV?
Who is in front of the piano?

p.73

5   Counting the numbers

Counting (1 through 10)
Counting things in general usage (1 through 10)
Counting papers (1 through 10)

p.74

Counting books (1 through 10)
Counting bottles (1 through 10)
Counting small animals (1 through 10)
Counting persons (1 through 10)

p.75

6 Let's count !

How many teachers are there?
How many books are there?
How many sheets of paper are there?
How many insects are there?
How many eggs are there?

p.76

How many students are there?
How many stars are there?
How many stones are there?
How many children are there?
How many fingers are there?

p.77

7   What time is it?

It is now 1 o'clock.
It is now 4:15.
It is now 9:30. (half past nine)
4:40   10:10   12:00

p.78

8   What day of the week is it?

What day of the week is it today?
It's Sunday.

Sunday	Monday	Tuesday
Wednesday	Thursday	
Friday	Saturday	

What date is it today?
It's January 1st.

January	1st
February	2nd
March	3rd
April	4th
May	5th
June	6th
July	7th
August	8th
September	9th
October	10th
November	:
December	20th

p.79

Exercise

$11,12,\cdots20,21,\cdots30,40,50,\cdots100\sim900,\cdots1000$
What time is it?
What day of the week is it today?
What is the date today?

p.80

9   That is a cute cat.
    That cat is cute.

    Is that an interesting film?
    No, it's not interesting.

    Is that a delicious orange?
    No, it's not delicious.

    Is that dirty trash?
    No, it's not dirty.

    Is that face frightening?
    No, it's not frightening.

⑤

110

Is that shot painful?
No, it's not painful. ⑩

Is that pencil long?
No, it's not long. It's short.

p.81

big, small, fat, thin

tall, short, thick, $\begin{cases} \text{cold} \\ \text{cool} \end{cases}$

heavy, light
red, white, yellow
blue, black, brown ⑤
[······na] adjective group
pretty, like, dislike

Is that a pretty dress?
No, it's not pretty.

Do you like dogs? ⑩
Yes, I like them.

Do you also like cats?
No, I don't like them. I dislike them.

p.82

Exercise

Complete the following sentences.

Is that an interesting film?
No, it's not interesting.

Is that dirty trash?
No, it's not dirty.

Is that shot painful? ⑤
No, it isn't.

Is that pencil long?
No, it isn't long. It's short.

Is this a pretty dress?
No, it isn't pretty. ⑩

Do you like cats?
No, I don't like them. I dislike them.

p.83

10 Where

I swim in the pool.
I get off at the station.
I read in the library.
I go to school.
I go to church. ⑤
I go back home.

When

I study every day.
I sometimes fight.
I'll phone tomorrow.
I get up at 6 o'clock in the morning. ⑩
I go to bed at 10 o'clock at night.
I play on Sunday.

p.84

On What

I sit on a chair.
I ride on a bus.
I take a bath.
I stand on the peak.

What

I wash my hands. ⑤
I write a letter.
I watch TV.
I play baseball.
I speak Japanese.
I buy flowers. ⑩
I eat bananas.

p.85

When, where, what······.

I run in the park every day.
I cut trees in the forest.
I watch TV on Saturday.
I listen to the radio in my room every evening.

What······, Who·····

The baby smiles. ⑤

School starts at 9 o'clock.
School ends at 3 o'clock.
Grandfather walks around the garden.
The airplane flies in the sky.
The dog barks outside.   ⑩
The teacher scolds the student in the classroom.

p.86

Exercise

Complete the following sentences.

I swim in the pool.
I go back home.
I go to bed at 10 o'clock at night.
I take a bath.
I speak Japanese.   ⑤
I watch TV on Saturday.
School starts at 9 o'clock.
The airplane flies in the sky.
The teacher scolds the student in the classroom.

p.87

11   I want to ……

I want to swim in the pool.
I want to return home.
I want to play on Sunday.
I want to take a bath.
I want to speak Japanese.   ⑤
I want to drink juice.
I want to see the sea.
I want to sing a song.
I want to make a telephone call.
I want to collect stamps.   ⑩
I want to be a teacher.
I want to climb the mountain.

p.88

12   I'm going to buy something ……

I'm going to climb.
I'm going to swim.
I'm going to play.
I'm going to meet someone.

I'm going to see the film.   ⑤
I'm going to eat steak.
I'm going to the post office to mail letters.
I'm going to the station to pick up my lost item.
I'm going to the library to borrow some books.

p.89

13   What can you do?

I can play baseball.
I can write Kanji.
I can read the book.
I can ride a bicycle.
I can take a bath.   ⑤
I can run 5 kilometers.
I can swim 100 meters.
I can wake up at 5 o'clock in the morning.
I can sleep in this room.
I can watch TV until 10 o'clock.   ⑩
I can eat Sushi.
What time tomorrow can you come over here?
I can come by 9 o'clock.

p.90

14   I'm not going to the bank.

Do you wake up at 6 o'clock in the morning?
Yes, I do.

Do you watch TV?
No, I don't watch TV.

Do you want to go out?   ⑤
Yes, I do.

Do you want to read the newspapers?
No, I don't want to read the newspapers.

Can you speak Japanese?
Yes, I can.   ⑩

Can you come at 7 o'clock tomorrow?
No, I can't come by 7 o'clock.

Are you going to see the film?
No, I'm not going to see the film.

p.91

Exercise

Complete the following sentences.

I want to swim in the pool.
I want to speak Japanese.
I'm going to see the film.
I'm going to the station to pick up my lost item.
I can read the book.   ⑤
I can watch TV until 10 o'clock.

Do you want to go out?
Yes, I do.

Do you want to read the newspapers?
No, I don't.

p.92

15 I'm eating.

——— eating bananas.
——— studying every day.
——— watching TV.
——— speaking Japanese.
——— sleeping in the garden. ⑤
——— listening to the radio.
——— writing letters.
——— walking on the road.
——— crying outside.
——— playing the piano. ⑩
——— swimming in the pool.
(Now) in a hurry.

p.93

——— washing (my) hands.
——— scolding the students.
——— cutting the trees.
——— buying flowers.
——— learning Japanese. ⑤
——— singing songs.
——— running in the park.
——— standing on the peak.
——— drinking tea.
——— reading a book. ⑩
——— playing in the amusement park.
——— flying in the sky.

p.94

16 I went to the zoo.

I went to church.
I read in the library.
I woke up at 6 o'clock in the morning.
I went to bed at 10 o'clock at night.
I rode on the bus.   ⑤

I took a bath.
I didn't wash my hands.
I didn't watch TV.
I didn't eat bananas.
I didn't buy flowers.   ⑩
The baby smiled.
The airplane flew.

p.95

Exercise

Complete the following sentences.

I'm eating bananas.
I'm listening to the radio.
I'm swimming in the pool.
I'm washing my hands.
I'm playing in the amusement park. ⑤

Did you go to church?
Yes, I did.

Did the baby smile?
Yes, he did.

Did you watch TV?
No, I didn't watch TV.

p.96

17 I plant flowers and water them.

I stop talking and listen.
I take off the cover and look inside.
I will check the telephone number and tell it to you.
I wake up at 7 o'clock in the morning and wash my face.
I eat breakfast and go to school. ⑤
I study at school and return home.

I finish my home work and watch TV.
I take a bath and sleep.

p.97

I opened my book and read it.
I wrote the letter and mailed it.
I took the apple and ate it.
I went to the department store and bought
  plastic models.
I bought a train ticket and rode the train. ⑤
I rested a while and went to Tokyo.
We read comics and laughed together.
I drank tea and ate sweets.

p.98

Exercise

Complete the following sentences.

I plant flowers and water them.
I take off the cover and look inside.
I eat breakfast and go to school.
I take a bath and sleep.
I write a letter and mail it.   ⑤
I buy a train ticket and ride the train.
We read comics and laugh together.
I drink tea and eat sweets.

p.99

The zoo

Yesterday I went to the zoo. I left home at
7 o'clock in the morning. I took the train and got
off at Ueno.
I met my friend at the entrance of the zoo. We
bought the tickets and entered the zoo.   ⑤

   First, we went to the panda's cage. The panda
was sleeping. After that, we went to see the lion,
the elephant, the giraffe, the hippopotamus and
the polar bear.
   There were lots of monkeys.
The leader of the monkeys was sitting on top of
the tree and was screaming.
The young monkeys were fighting and running
around.   ⑩
The baby monkeys were crying.

   We ate our lunch around 1 o'clock and rested a
while. After that, we went to ride the ponies. I
could ride one, but my friend couldn't ride it.
   We left the zoo around 3 o'clock and returned
home by bus.
   I went to my grandfather's room at night to
talk about the trip to the zoo.
   I hope I can go there with my grandpa next time.

p.102

Let's answer some questions!

Where did he go yesterday?
When did he leave the house?
At which station did he get off?
Where and whom did he meet?
What did he do after he bought his ticket? ⑤
Was the panda walking around?
Did he go and see the elephants?
Where was the leader of the monkeys?
Were the young monkeys crying?
Were the baby monkeys laughing?   ⑩
What did he do around 1 o'clock?
Could his friend ride the pony?
What did he take to go home?
With whom does he hope to go to the zoo?